R.W. FASSBINDER
FILM STILLS 1966–1982

Das Lebenswerk von Rainer Werner Fassbinder umfasst 44 Filme. Als er am 10. Juni 1982 in München starb, war er gerade 37 Jahre alt. In atemberaubender Geschwindigkeit hatte er ab 1966 in nur 17 Jahren sein gewaltiges schöpferisches Werk wie ein ästhetisches Gebirge vor der staunenden Welt aufgetürmt. Beeinflusst von der poetischen Raffinesse des Dichters und Dramatikers Bert Brecht, der filmischen Eleganz eines Jean-Luc Godard und inspiriert von der lakonischen Aneignung des Profanen durch Andy Warhol, entwickelte Fassbinder in seinen Filmen – in den frühen schwarzweißen wie auch in den späteren farbigen – eine eindringliche, kraftvolle Bildsprache von ganz eigener Poesie. Und da er in seinen Filmen meist von den traurigen Spielarten der Liebe erzählte, wurde alsbald eine Weltsprache daraus. In der genauen und liebevollen Beschreibung der westdeutschen gesellschaftlichen Verhältnisse, vor allem auch der Münchner, sind seine Filme zu einem Monument der Geschichte geworden. Kunstwerke von großer ästhetischer Klarheit und Strahlkraft sind sie außerdem.

Unser Buch ist diesem Werk gewidmet.

Es enthält eine aus 17 schöpferischen Jahren zusammengedrängte Fülle kraftvoll vorgetragener filmischer Phantasie, in welcher der Dichter und Erzähler Fassbinder sein Medium, seine wahre Erfüllung und schließlich seine Erschöpfung fand.

Mit persönlichen Texten des Regisseurs John Waters, des Schriftstellers Peter Handke und einer cineastischen Würdigung des Werkes durch Hans Helmut Prinzler.

Deutsch/englische Ausgabe
240 Seiten, 190 Abbildungen in Farbe
ISBN 978-3-8296-0895-4

R.W. FASSBINDER
FILM STILLS

1966–1982

Herausgegeben von Juliane Lorenz
und Lothar Schirmer
Mit Texten von John Waters,
Hans Helmut Prinzler und Peter Handke

Zweisprachige Ausgabe
deutsch/englisch

Schirmer/Mosel

Hanna Schygulla und Rainer Werner Fassbinder
bei den Filmfestspielen in Venedig, 1980. Photo Bruno Bertani

Inhalt

HAAAPPPYYY, HAAAAPPPPYYYY BIIIRRRRRTTTTHHHDAAAYYY, BAAABBBYYY!

Lieber Herr Fassbinder, dieses Jahr würden Sie 75 werden, also erinnern Sie sich vielleicht an den 1957er Hit von den Tune-Weavers, den ich Ihnen hier gerade gesungen habe. Sie selbst mögen jetzt *kälter als der Tod* sein, wenn man einen Ihrer Filmtitel als Prophezeiung nimmt, aber Ihr Werk leuchtet immer noch auf der Leinwand: eine brennende Provokation. Ihre genial perverse Filmografie inspiriert aus dem Jenseits des Indie-Kinos weiterhin die Regie-Außenseiter jeder neuen Generation mit ihrer obsessiv-getriebenen, drogenberauschten, bissigen politischen Inkorrektheit. Sie sind Kult und locken, faszinieren und beschädigen fröhlich Filmfexe weltweit, und wir, Ihre sklavischen Jünger, sagen aus den Tiefen unseres verwundeten kleinen Herzens: Danke.

Ich weiß noch, wie ich Ihnen das erste Mal auf der Berlinale begegnete. Da standen Sie neben Douglas Sirk! Sie in Ihrer Lederkluft und dreckigen Levi's, er in seinem eleganten, knackfrischen weißen Anzug. Ich hätte mich am liebsten verbeugt. Sie standen sowohl mir als auch meinen frühen Trash-Epen, die in Deutschland gerade erst anfingen aufzufallen, freundlich und wohlgesonnen gegenüber. Douglas Sirk hatte von *Pink Flamingos* gehört!? Ich war verblüfft und gerührt, und alles dank Ihnen.

Später war ich sehr stolz, als New Line Cinema (damals der Verleih all meiner Filme) ankündigte, Ihren Film *Despair* herauszubringen. Ich stellte mich taub, als die PR-Frau irgendwann darüber klagte, sie habe Ihnen zwei First-Class-Tickets geschickt, damit Sie zur Promotion des Films nach New York fliegen, und Sie hätten zwar zugesagt und sich auch ins Flugzeug gesetzt, sich aber für die Interviews nicht blicken lassen. Ich hatte Sie am Vorabend in der SM-Lederszene gesehen, hielt aber meinen Mund. Ich werde doch den König nicht verpetzen.

Darf ich Rainer zu Ihnen sagen? Wenn ja, Rainer, was kann ich Ihnen Anderes zum Geburtstag schenken als Lob? Gott im Himmel, ich frage Dich, gibt es in der Kinogeschichte eine größere schauspielerische Leistung als die von Irm Hermann in *Die bitteren Tränen der Petra von Kant*? Falls nein, können wir ihr nicht einen großen Preis geben, solange sie noch lebt – mindestens einen Oscar? Und *Faustrecht der Freiheit*: endlich ein Regisseur, der was vom schwulen „Metier" versteht! Würde ich jetzt vor Ihrer Auffassungsgabe niederknien, könnte mich keiner der Nekrophilie bezichtigen, so lebendig, so voller Witz ist dieser Film. *Martha* – ich verneige mich! Furchtbar böse und grausam, aber was habe ich bei der Szene gelacht, wo der Mann seine frischgebackene Gattin zwingt, sich am Tag ihrer Heirat einen schmerzhaften Sonnenbrand zu holen, nur damit die Hochzeitsnacht zu einer umso unangenehmeren Qual wird? Vielleicht muss ich dafür in der Hölle braten, dass mir diese romantische Folter auf der Leinwand Spaß gemacht hat, aber welcher Regisseur hat sich seither so was Originelles getraut?

Ein Hoch auf Sie, Fassbinder! Mein absoluter Lieblingsfilm von Ihnen? *In einem Jahr mit 13 Monden*, ein divers verdrehter Feelbad-Film und Ihr brutalster. „Das Einzige, was ihn rettet, ist sein Genie", schrieb schon die *New York Times*, was soll ich da noch hinzufügen? Wer diesen Film nicht mag, sollte sich am besten umbringen?

Ich blase gleich die Kerzen auf Ihrem Kuchen aus, aber vorher schau ich mir erst dieses neue Buch mit den Film Stills an. Gott, die Erinnerungen! Zunächst mal: Sie waren sexy. Ein totaler Chaot, aber ein Filmhengst. Umgeben von lauter schlauen, begabten Frauen. Hetero. Homo. Bi. Da wäre selbst Freud durcheinandergekommen. Eine davon haben Sie auch noch geheiratet, die großartige Ingrid Caven. Hanna Schygulla – was für eine Hauptdarstellerin! Sie haben sie so berühmt gemacht, dass sie später in einem Chuck-Norris-Film mitspielen durfte, *Delta Force*. Das nenne ich CROSSOVER, in Großbuchstaben. Kein Wunder, dass Ihre Lover im wirklichen Leben so kreuzunglücklich waren – schwer zu überbieten, was die hätten überbieten sollen.

Rasse, Klasse, Geschichte, Nazis, Familie, selbst die eigene Mutter – unterm Strich haben Sie das alles „gefickt". Wer in diesem Buch blättert, wird sich fühlen wie ein Heteromacker, der über seinen Lieblings-Pin-ups im *Playboy* sabbert, nur dass er sich hier nicht über irgendwelche Sahneschnitten beugt, sondern über seine ersten Erinnerungen an einen Fassbinder-Film, das ist in sich schon eine neue Form von Erotik. *Ich will doch nur, daß ihr mich liebt,* bettelt einer Ihrer Filmtitel. Tun wir, Rainer, tun wir. Und falls jemand widerspricht? Tja, der Fassbinder-Kult hat immer noch viele Anhänger, und wir wissen, wo du wohnst …

John Waters

Das Herz des Neuen Deutschen Films

26 geordnete Gedanken zu Rainer Werner Fassbinder

Hans Helmut Prinzler

Wer 1945 geboren wurde, kann 2020 seinen 75. Geburtstag feiern. Wenn er nicht mehr am Leben ist, muss man an ihn erinnern, wenn er etwas Bedeutendes geleistet hat. Rainer Werner Fassbinder war ein herausragender deutscher Filmemacher der 1970er Jahre. Er ist im Alter von 37 Jahren gestorben.

1. Sein Leben

„Am 31. Mai 1945 wurde ich als Sohn des praktischen Arztes Dr. Helmuth Fassbinder und seiner Ehefrau Liselotte, geb. Pempeit, in Bad Wörishofen geboren." So beginnt ein handschriftlich überlieferter Lebenslauf aus dem Jahr 1967. Als sich die Eltern 1951 scheiden lassen, lebt er weitgehend in München und Augsburg bei seiner Mutter, die als Übersetzerin tätig ist. Sie lässt ihren Sohn oft ins Kino gehen, um in Ruhe arbeiten zu können. Schulabgang 1964 ohne Abitur. Schauspielausbildung. Erste Rollen und Inszenierungen am „Action Theater". Erste Kurzfilme 1965/66. Eine Bewerbung an der Deutschen Film- und Fernsehakademie Berlin 1966 ist erfolglos. Gründung des „antiteaters" in München 1968 u.a. zusammen mit Kurt Raab, Peer Raben und Hanna Schygulla. 1969 beginnt eine Karriere als Filmemacher, die zunächst parallel zur Theaterarbeit verläuft und dann ungeahnte Dimensionen annimmt. RWF stirbt am 10. Juni 1982.

2. Sein Werk

In 16 Jahren hat er 44 Filme gedreht, vier Hörspiele verfasst, 18 Theaterstücke geschrieben und 23 inszeniert. Er war als Autor, Regisseur, Darsteller, Kameramann, Cutter, Produzent, Komponist und Ausstatter tätig. Seine Kreativität hatte keine erkennbaren Grenzen.

3. Seine Kinofilme

Es waren 25, beginnend mit *Liebe ist kälter als der Tod*. Zehn ausgewählte Höhepunkte: Mit *Katzelmacher* gelang ihm der Durchbruch. *Warnung vor einer heiligen Nutte* reflektiert Arbeit und Spannungen am Filmset. *Händler der vier Jahreszeiten* blickt zurück in die Adenauerzeit. *Angst essen Seele auf* ist eine Hommage an Douglas Sirk. *Fontane Effi Briest* erweist sich als kongeniale Literaturverfilmung. *Satansbraten* ist das Resultat einer persönlichen Krise. *Die Ehe der Maria Braun* wird zu seinem erfolgreichsten Film. *Lola* soll an den *Blauen Engel* erinnern. *Die Sehnsucht der Veronika Voss* reminisziert die Ufa. *Querelle* erlebt erst drei Monate nach seinem Tod die Uraufführung. Meine drei persönlichen Lieblingsfilme sind *Effi Briest*, *Maria Braun* und *Lola*.

4. Seine Fernseharbeiten

Neun hat er für den WDR realisiert, drei für das ZDF, zwei für den Saarländischen Rundfunk, eine für den NDR. Die Formen waren vielfältig: eine Fernsehshow mit Brigitte Mira (*Wie ein Vogel auf dem Draht*), ein Dokumentarfilm (*Theater in Trance*), drei Aufzeichnungen von Theateraufführungen, zwei zweiteilige Fernsehfilme (*Welt am Draht* und *Bolwieser*), sechs Fernsehfilme, eine fünfteilige Serie (*Acht Stunden sind kein Tag*), eine 14-teilige Serie (*Berlin Alexanderplatz*). Zu seiner Zeit gab es in der Bundesrepublik nur das öffentlich-rechtliche Fernsehen. Und das war damals noch sehr experimentierfreudig.

5. Seine Themen

Die Darstellung deutscher Geschichte war für ihn ein zentrales Thema. Beispielhaft ist die BRD-Trilogie *Die Ehe der Maria Braun, Die Sehnsucht der Veronika Voss* und *Lola*. Dreimal steht eine starke Frau im Mittelpunkt einer historischen Situation: in der Kriegs- und Nachkriegszeit bis 1954 (Maria Braun), Mitte der 50er Jahre (Veronika Voss), Ende der 50er Jahre (Lola). Politik und Ökonomie gewinnen an Bedeutung gegenüber dem individuellen Glück. Der Plan, die BRD-Geschichte bis in die 60er und 70er Jahre weiterzuerzählen, blieb unerfüllt. *Lili Marleen* ist eine Hommage an die Sängerin Lale Andersen in den 40er Jahren. *Despair – Eine Reise ins Licht* spielt in Berlin zu Beginn der 30er Jahre. *Berlin Alexanderplatz* führt uns zurück in die 20er Jahre. Und die Literaturverfilmung *Fontane Effi Briest* vermittelt ein authentisches Zeitbild vom Ende des 19. Jahrhunderts. Vor allem in den frühen Filmen (*Liebe ist kälter als der Tod, Götter der Pest, Der amerikanische Soldat*) werden Verbrechen thematisiert: Mord, Totschlag, Raub, Bandenkriminalität. Amerikanische und französische Gangsterfilme waren die Vorbilder. Homosexualität (*Faustrecht der Freiheit*), Geschlechtsumwandlung (*In einem Jahr mit 13 Monden*), Besitzanspruch (*Martha*), Partnertausch (*Chinesisches Roulette*) dominieren thematisch die mittlere Phase. Zu allen Zeiten geht es um die individuelle Suche nach der eigenen Identität und oft um die nackte Angst.

6. Schauplätze / Personal

Handlungsort vieler seiner Filme ist die Münchner Vorstadt: schlicht eingerichtete Wohnungen, Hinterhöfe, Straßen, Gaststätten. Die Protagonisten verhalten sich wortkarg, obwohl Konflikte spürbar sind. Wenn sich vier oder fünf Personen versammeln, kann es schnell dazu kommen, dass eine zum Außenseiter wird und die anderen zum verbalen oder tätlichen Angriff übergehen. Die Sprache ist ein stilisiertes Bayerisch. Beispielhaft: *Katzelmacher, Händler der vier Jahreszeiten*. Andere Schauplätze: ein kleiner Ort im Westen der USA (*Whity*), ein Hotel am Meer in Spanien (*Warnung vor einer heiligen Nutte*), eine Wohnung in Bremen (*Die bitteren Tränen der Petra von*

Kant), Köln (*Acht Stunden sind kein Tag*), ein Schloss in Franken (*Chinesisches Roulette*), ein Dorf in Oberbayern (*Bolwieser*), Frankfurt am Main (*In einem Jahr mit 13 Monden*), Westberlin (*Die dritte Generation*), Berlin in den 1920er Jahren (*Berlin Alexanderplatz*), Coburg (*Lola*), die Hafenstadt Brest am Atlantischen Ozean (*Querelle*). Es dominieren selbstbewusste Frauen. Die Männer scheitern oft auf der Suche nach sich selbst.

7. Seine Darstellerinnen und Darsteller

Das Ensemble des „Action Theaters" und danach des „antiteaters" bildete den Besetzungskern für seine frühen Filme: Harry Baer, Rudolf Waldemar Brem, Ingrid Caven, Irm Hermann, Hans Hirschmüller, Doris Mattes, Peter Moland, Kurt Raab, Peer Raben, Hanna Schygulla, Ursula Strätz, Lilith Ungerer und RWF selbst. Der Kreis erweiterte sich schnell, es kamen u. a. Margit Carstensen, Günther Kaufmann, Ulli Lommel, Eva Mattes, Walter Sedlmayr, Volker Spengler, Margarethe von Trotta hinzu. Lilo Pempeit/Liselotte Eder, die Mutter, spielte oft Nebenrollen. In den 1970er Jahren hat er deutsche Stars der 50er Jahre wiederentdeckt, die vom Neuen Deutschen Film eher gemieden wurden: Annemarie Düringer und Claus Holm (je drei Filme), Karlheinz Böhm und Ivan Desny (je vier Filme), Rudolf Lenz (fünf Filme), Barbara Valentin, Adrian Hoven und Klaus Löwitsch (je acht Filme). Ihre Rollen waren profiliert, seine Schauspielerführung anerkannt souverän. Auch ausländische Stars wurden engagiert: Eddie Constantine (drei Filme), Dirk Bogarde, Mel Ferrer, Franco Nero, Anna Karina, Jeanne Moreau. Damit wurde die internationale Wahrnehmung erweitert.

8. Seine Kameramänner

Drei Kameramänner prägten die Bildsprache seiner Filme: Dietrich Lohmann (1943–1997), Michael Ballhaus (1935–2017), Xaver Schwarzenberger (*1946). Lohmann war von 1969 bis 1974 für zwölf Filme und die Serie *Acht Stunden sind kein Tag* zuständig. Ballhaus kam ein Jahr nach Lohmann, 1970 (*Whity*), arbeitete zeitweise parallel mit ihm und ging 1978 (*Die Ehe der Maria Braun*) nach Amerika. Unvergesslich ist sein erster 360-Grad-Schwenk in *Martha,* wenn sich Margit Carstensen und Karlheinz Böhm zum ersten Mal auf einem Platz in Rom begegnen. Schwarzenberger war für das Spätwerk verantwortlich, beginnend mit *Berlin Alexanderplatz.* Bei zwei Filmen (*In einem Jahr mit 13 Monden* und *Die dritte Generation*) stand RWF selbst hinter der Kamera.

9. Seine Editorinnen

Die Montage seiner Filme war ihm sehr wichtig. Unter dem Pseudonym Franz Walsch hat er einen Schnitt-Credit bei 13 Filmen. Franz war der Vorname der literarischen Figur Biberkopf in Döblins *Berlin Alexanderplatz.* Walsch war die Eindeutschung des Nachnamens des von ihm sehr verehrten Regisseurs Raoul Walsh. Mit zwei Editorinnen hat er viel Zeit am Schneidetisch verbracht, das war zuerst Thea Eymèsz (15 Filme) und dann Juliane Lorenz (zwölf Filme). Mit ihnen konnte er auf Augenhöhe arbeiten.

10. Seine Widmungen

Im Vorspann vieler Filme werden Künstlerinnen und Künstler genannt, denen der Film gewidmet ist. Elf Beispiele: Dem Film *Liebe ist kälter als der Tod* ist die Widmung „Für Claude Chabrol, Eric Rohmer, Jean-Marie Straub, Linio und Cuncho" vorangestellt. (Linio und Cuncho waren die Hauptfiguren in dem Film *Töte Amigo* von Damiano Damiani. Eigentlich hießen sie allerdings Niño und Chuncho.) Der Film *Katzelmacher* ist der Autorin Marie Luise Fleißer gewidmet. *Whity* trägt die Widmung „Für Peter Berling". Der Film *Die bitteren Tränen der Petra von Kant* ist „Gewidmet dem, der hier Marlene wurde". *Faustrecht der Freiheit* verneigt sich vor „Armin und allen anderen". *Despair – Eine Reise ins Licht* ist „Dedicated to Antonin Artaud, Vincent van Gogh, Unica Zürn". „Für Peter Zadek" heißt es im Vorspann zu *Die Ehe der Maria Braun,* „Für Alexander Kluge" im Vorspann zu *Lola,* „Für Gerhard Zwerenz" zu Beginn von *Die Sehnsucht der Veronika Voss.* Der Dokumentarfilm *Theater in Trance* „ist dem Initiator von Theater der Welt 1981 Ivan Nagel gewidmet". In seinem letzten Film, *Querelle,* liest man: „This film is dedicated to my friendship with El Hedi ben Salem m'Barek Mohammed Mustafa". Er war der Hauptdarsteller des Films *Angst essen Seele auf.*

11. Seine Motti

Neben Widmungen stehen im Vorspann einiger Filme auch Motti. Zum Beispiel: „Es ist besser neue Fehler zu machen als die alten bis zur allgemeinen Bewußtlosigkeit zu konstituieren." (Yaak Karsunke) – *Katzelmacher.* „Hochmut kommt vor dem Fall", verbunden mit dem Zitat von Thomas Mann „Ich sage Ihnen, daß ich es oft sterbensmüde bin, das Menschliche darzustellen, ohne am Menschlichen teilzuhaben" – *Warnung vor einer heiligen Nutte.* „Das Glück ist nicht immer lustig" – *Angst essen Seele auf.* Und der Untertitel zu *Fontane Effi Briest* heißt „Viele, die eine Ahnung haben von ihren Möglichkeiten und Bedürfnissen und dennoch das herrschende System in ihrem Kopf akzeptieren durch ihre Taten und es somit festigen und durchaus bestätigen". Eine Widmung oder ein Motto zu Beginn eines Films sind Hinweise für das Kinopublikum, sich nicht gedankenlos auf das Geschehen einzulassen.

12. Seine internationale Reputation

Die Filmfestspiele in Cannes und Venedig waren nicht sein Terrain. In Cannes dominierten Volker Schlöndorff und Wim Wenders, in Venedig Alexander Kluge und Edgar Reitz. Zwei Filme von ihm (*Angst essen Seele auf* und *Despair – Eine Reise ins Licht*) liefen im Wettbewerb in Cannes, zwei (*Warnung vor einer heiligen Nutte* und *Querelle*) in Venedig. In Venedig wurde auch der 14-teilige *Berlin Alexanderplatz* voraufgeführt. Preise der Internationalen Jurys gab es nicht. Dennoch wuchs in den 70er Jahren sein weltweites Ansehen.

13. Sein Festival, die Berlinale

Sein erster Spielfilm, *Liebe ist kälter als der Tod,* lief 1969 im Wettbewerb der Berlinale und wurde sehr reserviert aufgenommen. Sein vorletzter, *Die Sehnsucht der Veronika Voss,* gewann 1982 den Goldenen Bären. Insgesamt neun Filme von ihm wurden während der Berlinale uraufgeführt. Für *Die Ehe der Maria Braun* hatte er 1979 fest mit dem Goldenen Bären gerechnet, aber es wurden nur Hanna Schygulla als beste Darstellerin und das gesamte Team des Films mit zwei Silbernen Bären ausgezeichnet. 1977 gehörte er der Berlinale-Jury an. Den Hauptpreis gewann damals das sowjetische Partisanendrama *Die Erhöhung* von Larissa Schepitko. Sein Favorit war Robert Bressons *Der Teufel möglicherweise,* der den Sonderpreis der Jury bekam. Er hat drei Berlinale-Direktoren erlebt: Alfred Bauer, Wolf Donner und Moritz de Hadeln.

14. Der Darsteller RWF

Er war ausgebildeter Schauspieler und hat gern auf der Bühne oder vor der Kamera agiert, das erste Mal 1965 in seinem Kurzfilm *Der Stadtstreicher* als Mann im Pissoir. Fünf Hauptrollen, 32 Nebenrollen und Cameo-Auftritte verzeichnet seine Filmografie. Drei Hauptrollen spielte er unter der Regie von befreundeten Kollegen. In Volker Schlöndorffs Brecht-Verfilmung war er 1970 *Baal,* der junge Dichter, der viel trinkt, die Frauen wechselt und mit einem Freund durch die Lande zieht, den er am Ende ersticht. Vorführungen des Fernsehfilms wurden nach der Ausstrahlung in der ARD auf Grund eines Einspruchs der Brecht-Erben untersagt. In Daniel Schmids *Schatten der Engel* (1976), der Verfilmung des Theaterstücks *Der Müll, die Stadt und der Tod,* übernahm er die Rolle des Zuhälters Raoul, der mit der Prostituierten Lily in die Kreise von Immobilienspekulanten gerät und am Ende unter Mordverdacht steht. In Wolf Gremms Science-Fiction-Thriller *Kamikaze 1989* (1982) spielte er den Polizeileutnant Jansen, einen Exzentriker im Leopardenanzug, der einen Mord im 31. Stock aufklären muss. Die Uraufführung des Films hat er nicht mehr erlebt.

15. Seine Intendanz

Mit Beginn der Saison 1974/75 übernahm er die Leitung des „Theaters am Turm" in Frankfurt am Main, im Juni 1975 schied er nach acht Monaten wieder aus. In die Schlagzeilen geriet er mit seinem Theaterstück *Der Müll, die Stadt und der Tod*, das wegen angeblicher antisemitischer Tendenzen von konservativen Kritikern verurteilt und dessen Veröffentlichung dann vom Suhrkamp Verlag zurückgezogen wurde. Seine kurze Frankfurter Lebensphase gilt als zwiespältig.

16. Selbstdarstellung

An dem Gruppenfilm *Deutschland im Herbst* (1978) beteiligte er sich mit einer 26-Minuten-Episode, die uns einen Blick in sein Inneres ermöglicht. RWF in seiner dunklen Wohnung, er streitet sich mit seinem Freund Armin Meier, telefoniert, nimmt Rauschgift, spielt mit seinem Penis und führt ein Gespräch mit seiner Mutter, die mit der aktuellen politischen Situation nicht klarkommt, sondern lieber einen autoritären Herrscher haben möchte, allerdings „einen, der ganz gut ist". Die Bilder und Dialoge wirken unvorstellbar authentisch.

17. Seine Texte

Er war ein gefragter Autor. Es gibt einen Sammelband mit 16 Essays und Arbeitsnotizen, den Michael Töteberg 1984 herausgegeben hat: *Filme befreien den Kopf*. Drei Texte haben eine besondere Bedeutung. Der wichtigste ist eine Hommage an den deutsch-amerikanischen Regisseur Douglas Sirk, den er sehr verehrt hat. „Sirk hat gesagt, Film, das ist Blut, das sind Tränen, Gewalt, Haß, der Tod und die Liebe. Und Sirk hat Filme gemacht, Filme mit Blut, mit Tränen, mit Gewalt, Haß, Filme mit Tod und Filme mit Liebe. Sirk hat gesagt, man kann nicht Filme über etwas machen, man kann nur Filme mit etwas machen, mit Menschen, mit Licht, mit Blumen, mit Spiegeln, mit Blut, eben mit all diesen wahnsinnigen Sachen, für die es sich lohnt. Sirk hat außerdem gesagt, das Licht und die Einstellung, das ist die Philosophie des Regisseurs. Und Douglas Sirk hat die zärtlichsten gemacht, die ich kenne." (1971) – Der interessanteste Text ist eine Auseinandersetzung mit dem französischen Regisseur Claude Chabrol, den er respektiert, aber auch kritisiert hat: „... Schatten freilich und kein Mitleid. Ein paar ungeordnete Gedanken". Zitat: „Chabrols Blick ist nicht der des Insektenforschers, wie oft behauptet wurde, sondern der eines Kindes, das eine Anzahl von Insekten in einem Glaskäfig hält und abwechselnd staunend, erschrocken oder lustvoll die merkwürdigen Verhaltensweisen seiner Tierchen betrachtet." Der schönste Text erzählt die Geschichte der Zusammenarbeit mit der Schauspielerin Hanna Schygulla, die in 17 Filmen von ihm eine Hauptrolle gespielt hat. Sie haben sich auf der Schauspielschule kennengelernt, zusammen am „Action Theater" gearbeitet und das „antiteater" gegründet. Dann begann die Filmarbeit. „Wenn es mir mal, aus welchen Gründen auch immer, wichtiger war, die Schygulla in einer kleineren Rolle zu besetzen, dann musste ich eben betteln gehen, zumeist widerfuhr mir zärtliche Gnade, und die Schygulla tat es eben, spielte auch schon mal eine kleinere Rolle, aber sie ließ es mich jeden Augenblick spüren, daß sie lediglich meinem dringenden Wunsch nachgegeben hatte. Noch größere Probleme hatte sie mit den sogenannten zweiten Frauenrollen, besonders dann, wenn Margit Carstensen die erste Frauenrolle im gleichen Film spielte. Aber wer wollte so kleinlich sein, solch normale menschliche Regungen anzugreifen?"

18. Bücher über RWF

Es gibt, grob geschätzt, hundert Bücher über ihn. Das erste entstand 1974, publiziert in der „Reihe Film" des Hanser-Verlags. Die kommentierte Filmografie stammte von Wilhelm Roth, sie ist noch immer lesenswert. Die 5., ergänzte und erweiterte Auflage des Buches erschien 1985. Unmittelbar nach seinem Tod haben Harry Baer (*Schlafen kann ich, wenn ich tot bin*, 1982) und Kurt Raab (*Die Sehnsucht des Rainer Werner Fassbinder*, 1982) persönlich geprägte Bücher über ihn geschrieben. Noch immer lesenswert ist die Biografie *Ein Tag ist ein Jahr ist ein Leben* von Jörg Trimborn (2012). Drei Publikationen haben aus heutiger Sicht die größte Bedeutung: die gedankenreiche Monografie von Thomas Elsaesser, erschienen 2012 bei Bertz + Fischer, die beiden materialreichen Kataloge zur Ausstellung und Retrospektive 1992, redaktionell verantwortet von Herbert Gehr und Marion Schmid im Argon-Verlag, der bildreiche Band *RWF. Die Filme*, herausgegeben von Juliane Lorenz und Lothar Schirmer 2016 im Verlag Schirmer/Mosel. Es wird noch viele neue Bücher über ihn geben.

19. Sein Tod

Er starb in der Nacht vom 9. zum 10. Juni 1982 in seiner Wohnung in München an Herzstillstand. Die *Bild*-Zeitung titelte „Fassbinder starb den Romy-Tod". Die Trauerfeier fand am 18. Juni statt. Eine Rede hielt Hanna Schygulla. Sie fragte: „Wer wird uns jetzt solche Geschichten erzählen? Wer sorgt jetzt für das Ärgernis?" Der Sarg war leer, denn der Leichnam wurde noch obduziert. Die Urne wurde erst einige Monate später auf dem Bogenhausener Friedhof beigesetzt. Am 20. Juli wollte RWF mit den Dreharbeiten zu dem Projekt *Ich bin das Glück dieser Erde* beginnen. Für 1983 war *Das Leben der Rosa Luxemburg* mit Jane Fonda geplant, produziert von Regina Ziegler. Was hätte er in den vergangenen 38 Jahren für Filme realisiert, wenn er, wie seine Kollegen Alexander Kluge, Edgar Reitz, Volker Schlöndorff, Reinhard Hauff oder Wim Wenders, am Leben geblieben wäre?

20. Sein Haus

„Ich möchte ein Haus mit meinen Filmen bauen. Einige sind der Keller. Andere die Wände, und wieder andere sind die Fenster. Aber ich hoffe, daß es am Ende ein Haus wird." (1982)

21. Meine persönlichen Kontakte

Die Deutsche Kinemathek hat von 1974 bis 1992 in Zusammenarbeit mit Peter W. Jansen und Wolfram Schütte die „Reihe Film" (genannt die „Blaue Reihe") im Hanser-Verlag herausgegeben. Den jeweiligen Autorinnen und Autoren wurden in einer internen Retrospektive die verfügbaren Filme der jeweiligen Regisseure gezeigt. RWF war Band 2 der Reihe gewidmet. In seiner Anwesenheit wurden im Februar 1974 an sechs Tagen im Kino der DFFB für Peter W. Jansen, Wolfram Schütte und Wilhelm Roth 20 Filme und die Serie *Acht Stunden sind kein Tag* vorgeführt. Ich war für die „Daten" zuständig. In einem langen Gespräch konnte ich mit ihm seine Biografie und die Filmografie seines Werkes durcharbeiten. Mit Drehzeiten, Etats, Auflösung von Pseudonymen. In der Frage seines Geburtsjahres täuschte er mich. Er sagte: 1946. Das war falsch, richtig ist: 1945. – Im Januar 1975 gab es in Frankfurt eine Claude Chabrol-Retrospektive in Anwesenheit von RWF. Er sollte den Essay schreiben. Bei den Vorführungen stritt er sich mit Wilfried Wiegand, der für die kommentierte Filmografie verantwortlich war. Einen Abend verbrachten wir mit ihm und seiner Crew in einer Kneipe. Er war damals Intendant des Theaters am Turm. – Für die Berlinale-Retrospektive 1982, die dem Regisseur Curtis Bernhardt gewidmet war, wollte ich ihn als Autor eines Textes gewinnen. Aber er sagte mir am Telefon wegen Arbeitsüberlastung ab. Das war mein letzter persönlicher Kontakt mit ihm.

22. Sein Nachruhm

Die 1986 von seiner Mutter Liselotte Eder gegründete und seit 1992 von Juliane Lorenz geleitete „Rainer Werner Fassbinder Foundation" hat dafür gesorgt, dass sein künstlerisches Werk erhalten blieb, dass seine Filme restauriert und digitalisiert wurden, dass die Rechte für öffentliche Vorführungen erworben werden konnten, dass DVDs und Blu-rays die Filme verfügbar machen, dass Retrospektiven in aller Welt stattfinden können. Eine eigenständige Fassbinder Foundation gibt es seit 1998 in New York, nachdem im Museum of Modern Art die erste komplette

Retrospektive seiner Filme zu sehen war. „Fassbinder is the dazzling, talented, provocative, puzzling, prolific and exhilarating filmmaker of his generation." (*New York Times*).

23. Seine Ausstellung

Zehn Jahre nach seinem Tod, drei Jahre nach dem Fall der Mauer fand eine inzwischen legendäre Ausstellung unter dem Fernsehturm am Alexanderplatz in Berlin statt. Gezeigt wurden auf rund 2000 Quadratmetern 600 Exponate: Plakate, Kostüme (von Barbara Baum), Fotos, Zeichnungen, Produktionsunterlagen. Die rekonstruierten Privat- und Arbeitsräume vermittelten den Eindruck, er sei gerade mal weggegangen und käme gleich wieder. – Im Kino Arsenal, im Babylon und im Filmmuseum Potsdam wurden fast alle Filme von ihm und viele andere Filme, die er sehr schätzte, vorgeführt. Der zweibändige Katalog zur Ausstellung und Filmreihe ist eine Fundgrube.

24. Sein Platz

2004 wurde in München ein Platz zwischen der Lilli-Palmer-Straße und der Erika-Mann-Straße nach ihm benannt. Er liegt in Neuhausen-Nymphenburg. Das Haus Nummer 1 beherbergt die „Freiheizhalle", einen Veranstaltungsort. Vor der Halle hat der Künstler Wilhelm Koch 2007 ein Bodenrelief gestaltet, in das die Titel der Filme, Theaterstücke und Hörspiele von RWF eingeprägt sind.

25. Sein Center

Das Deutsche Filminstitut & Filmmuseum in Frankfurt am Main hat von Juliane Lorenz den schriftlichen Nachlass erworben und dies zum Anlass genommen, in der Eschersheimer Landstraße die bisher an mehreren Standorten gelagerten Schriftgutsammlungen unter einem Dach zu vereinen. Dort gibt es auch Arbeitsplätze, um in den Materialien von Hans Albers, Artur Brauner, Reinhard Hauff,

Lilian Harvey, Volker Schlöndorff oder Rudolf Thome zu forschen. Der Ort trägt den Namen „Fassbinder-Center".

26. Das Herz

Wolfram Schütte, ein Kritiker, den er sehr geschätzt hat, schrieb in einem Nachruf in der *Frankfurter Rundschau*: „Wenn man sich den Neuen Deutschen Film allegorisch als Mensch imaginierte, so wäre Kluge sein Kopf, Herzog sein Wille, Wenders sein Auge, Schlöndorff seine Hände und Füße *e tutti quanti* dies und das; aber Fassbinder wäre sein Herz gewesen, die lebende Mitte (nicht politisch oder als Punkt des Ausgleichs, sondern als Gravitationszentrum, in dem die jeweiligen künstlerischen Tendenzen sich schnitten)."

RAINER WERNER FASSBINDER und ich sind einander, obwohl wir ein paarmal das eine oder andere Wort gewechselt haben, ein einziges Mal begegnet. Das war während der Filmfestspiele in Cannes, Mai neunzehnhundertachtundsiebzig. Jeder von uns beiden verantwortete damals einen Film im Wettbewerb, Fassbinder, wenn ich mich nicht irre, *Dark Fire**, nach einem Buch von Nabokov, und ich *Die linkshändige Frau,* so daß wir sozusagen Konkurrenten waren. Unsere Begegnung fand statt tief in der Nacht, im Sand, am Ufer des Mittelmeers. Vorher hatten wir uns, in meiner Erinnerung kaum einige Schritte weg vom Meer, in der festivalbeliebten „Blue Bar" aufgehalten, im Gedränge, fern voneinander, und zudem ein jeder mit seinem „Team" oder in einer eher zufälligen Gruppe. Es zog mich dann hinaus in die Nacht, hin zum Meer, allein. Schöne große Finsternis, sternlos schwarzer Himmel, und Stille mitsamt dem leisen Plätschern der Wellen an die Côte d'Azur, wie üblich Ebbe und Flut da kaum unterscheidbar. Und unversehens fand sich Rainer Werner Fassbinder neben mir, im Abstand, mehr Ahnung als klare Kontur. Und auch er schaute wie ich in die Himmel-Meer-Dunkelheit, vor sich die unsichtbaren, dafür umso hörbareren stillen Wellen. Ich wendete mich ab, und als ich später dann doch wie unwillkürlich mich Fassbinder zuwendete, trafen sich unser beider Blicke, stumm, und das war unsere Begegnung.

Peter Handke
1. März 2020
1. Sonntag der Fastenzeit

*gemeint ist *Despair – Eine Reise ins Licht*

Die Filme

This Night* 1966

Der Stadtstreicher** 1966

Das kleine Chaos 1967

Liebe ist kälter als der Tod 1969

Katzelmacher 1969

Götter der Pest 1969

Warum läuft Herr R. Amok? 1969

Rio das Mortes 1970

Das Kaffeehaus** 1970

Whity 1970

Die Niklashauser Fart 1970

Der amerikanische Soldat 1970

Warnung vor einer heiligen Nutte 1970

Pioniere in Ingolstadt 1970

Händler der vier Jahreszeiten 1971

Die bitteren Tränen der Petra von Kant 1972

Wildwechsel** 1972

Acht Stunden sind kein Tag 1972

Bremer Freiheit** 1972

Welt am Draht 1973

Nora Helmer 1973

Angst essen Seele auf 1973

Martha 1973

Fontane Effi Briest 1972–74

Faustrecht der Freiheit 1974

Wie ein Vogel auf dem Draht** 1974
Mutter Küsters' Fahrt zum Himmel 1975
Angst vor der Angst 1975
Ich will doch nur, daß ihr mich liebt 1975/76
Satansbraten 1975/76
Chinesisches Roulette 1976
Bolwieser 1976/77
Frauen in New York 1977
Despair – Eine Reise ins Licht 1977
Deutschland im Herbst 1977/78
Die Ehe der Maria Braun 1978
In einem Jahr mit 13 Monden 1978
Die dritte Generation 1978/79
Berlin Alexanderplatz 1979/80
Lili Marleen 1980
Lola 1981
Theater in Trance 1981
Die Sehnsucht der Veronika Voss 1981
Querelle 1982

* Der 1. Film *This Night* gilt als verschollen.
Die mit ** gekennzeichneten Filme sind aus Gründen der technischen Qualität nicht im Tafelteil vertreten.

Das kleine Chaos 1967

KAMERA: Michael Fengler

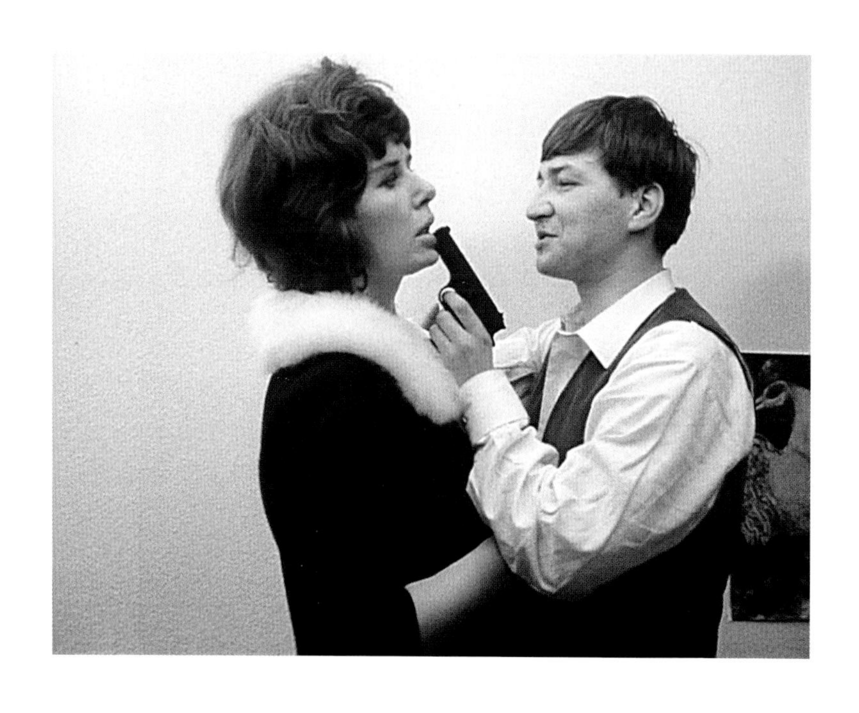

Liebe ist kälter als der Tod 1969

WIDMUNG: „Für Claude Chabrol, Eric Rohmer, Jean-Marie Straub, Linio und Cuncho"

KAMERA: Dietrich Lohmann

Katzelmacher 1969

WIDMUNG: „Für Marie Luise Fleißer"

MOTTO: „Es ist besser neue Fehler zu machen als die alten bis zur allgemeinen Bewußtlosigkeit zu konstituieren (Yaak Karsunke)"

KAMERA: Dietrich Lohmann

Götter der Pest 1969

KAMERA: Dietrich Lohmann

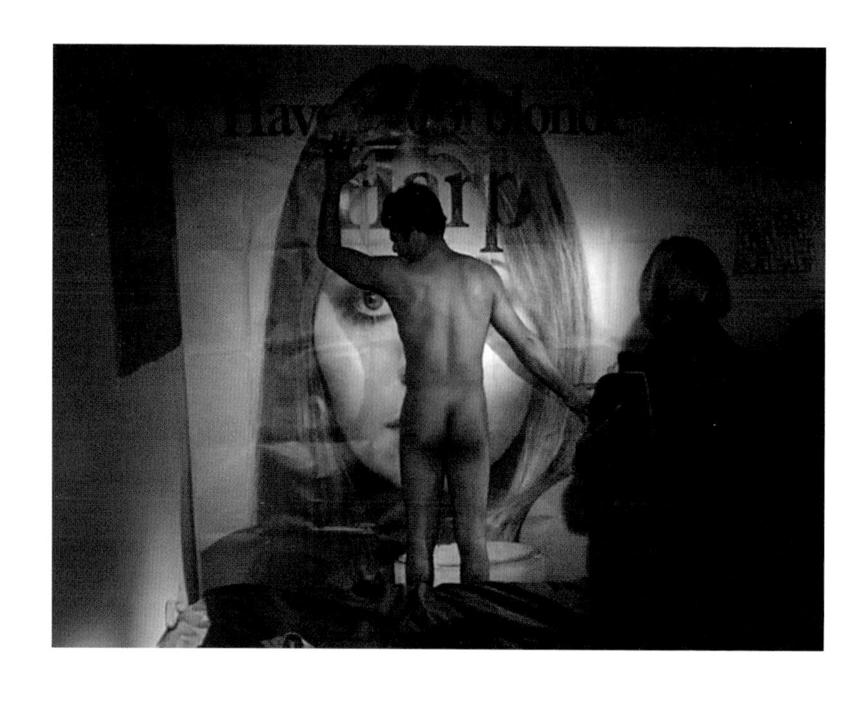

Warum läuft Herr R. Amok? 1969

KAMERA: Dietrich Lohmann

Rio das Mortes 1970

KAMERA: Dietrich Lohmann

Whity 1970

WIDMUNG: „Für Peter Berling"

KAMERA: Michael Ballhaus

Die Niklashauser Fart 1970

KAMERA: Dietrich Lohmann

Der amerikanische Soldat 1970

KAMERA: Dietrich Lohmann

Warnung vor einer heiligen Nutte 1970

MOTTO: „Hochmut kommt vor dem Fall"
Zitat aus Thomas Manns Erzählung *Tonio Kröger*: „Ich sage Ihnen, daß ich es oft sterbensmüde bin, das Menschliche darzustellen, ohne am Menschlichen teilzuhaben ..."
KAMERA: Michael Ballhaus

Pioniere in Ingolstadt 1970

KAMERA: Dietrich Lohmann

Händler der vier Jahreszeiten 1971

KAMERA: Dietrich Lohmann

Die bitteren Tränen der Petra von Kant 1972

WIDMUNG: „Gewidmet dem, der hier Marlene wurde"

KAMERA: Michael Ballhaus

Acht Stunden sind kein Tag 1972

Eine Familienserie in fünf Teilen

KAMERA: Dietrich Lohmann

Hier bedient Sie
Frl. ERLKÖNIG

Welt am Draht 1973

KAMERA: Michael Ballhaus

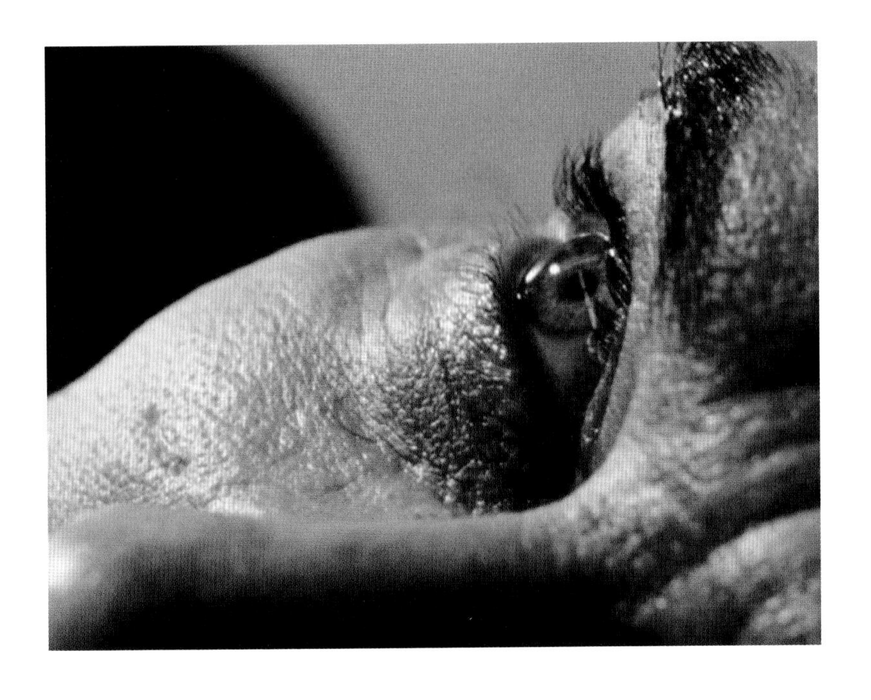

Nora Helmer 1973

KAMERA: Willi Raber, Wilfried Mier, Peter Weyrich, Gisela Loew, Hans Schugg

Angst essen Seele auf 1973

MOTTO: „Das Glück ist nicht immer lustig"

KAMERA: Jürgen Jürges

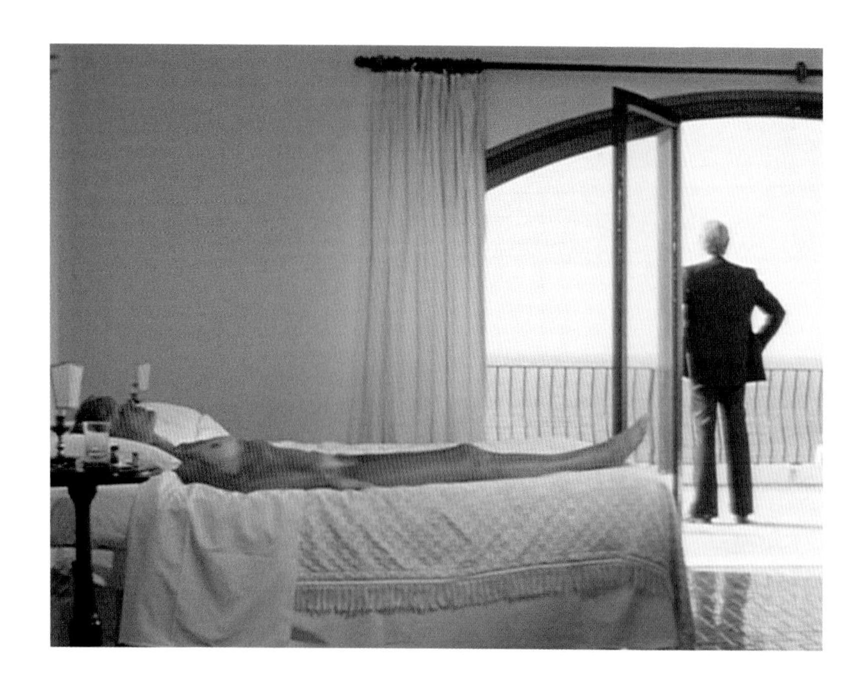

Martha 1973

KAMERA: Michael Ballhaus

Fontane Effi Briest 1972–74

oder Viele, die eine Ahnung haben von ihren Möglichkeiten und Bedürfnissen und dennoch das herrschende System in ihrem Kopf akzeptieren durch ihre Taten und es somit festigen und durchaus bestätigen

KAMERA: Dietrich Lohmann, Jürgen Jürges

Faustrecht der Freiheit 1974

WIDMUNG: „Für Armin und alle anderen“

KAMERA: Michael Ballhaus

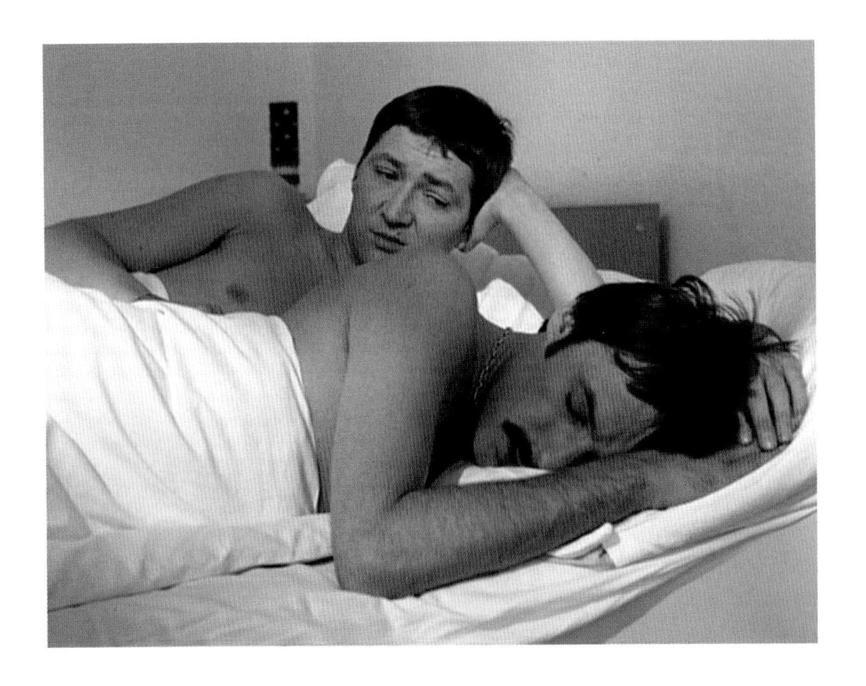

Valium 5
ROCHE
5 mg

Mutter Küsters' Fahrt zum Himmel 1975

KAMERA: Michael Ballhaus

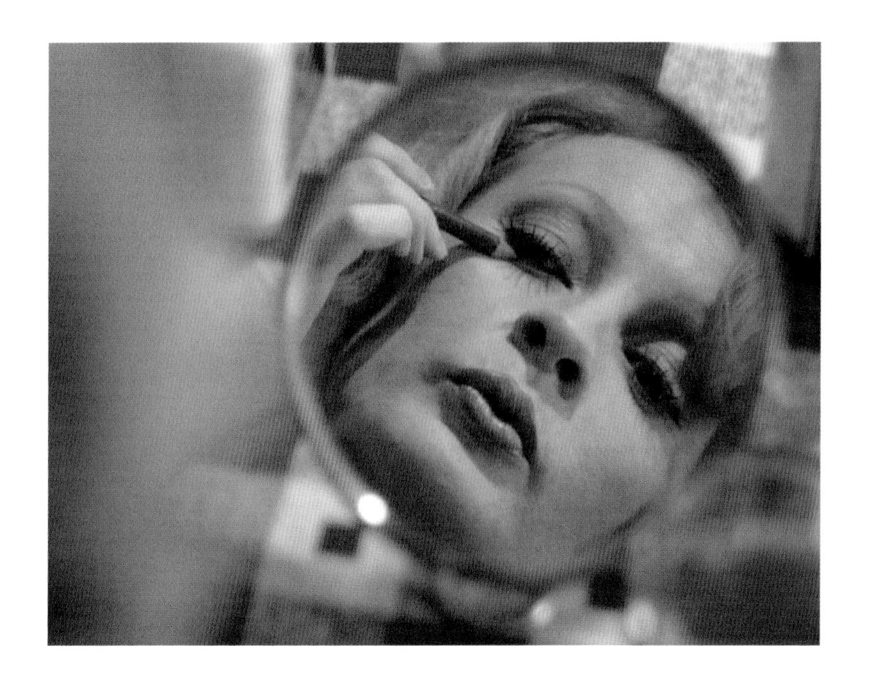

Angst vor der Angst 1975

KAMERA: Jürgen Jürges, Ulrich Prinz

Ich will doch nur, daß ihr mich liebt 1975/76

KAMERA: Michael Ballhaus

Satansbraten 1975/76

„Ce qui différence / les païens de nous / c'est qu'à l'origine / de toutes leurs croyances / il y a un terrible effort / pour ne pas penser en hommes, / pour garder le contact / avec la création entière / c'est-à-dire avec la divinité." (Antonin Artaud)

KAMERA: Jürgen Jürges (1. Phase), Michael Ballhaus

Chinesisches Roulette 1976

KAMERA: Michael Ballhaus

Bolwieser 1976/77

KAMERA: Michael Ballhaus

Frauen in New York 1977

Fernsehaufzeichnung der Inszenierung von Rainer Werner Fassbinder
am Deutschen Schauspielhaus in Hamburg
KAMERA: Michael Ballhaus

Despair – Eine Reise ins Licht 1977

WIDMUNG: „Dedicated to / Für Antonin Artaud, Vincent van Gogh, Unica Zürn"
KAMERA: Michael Ballhaus

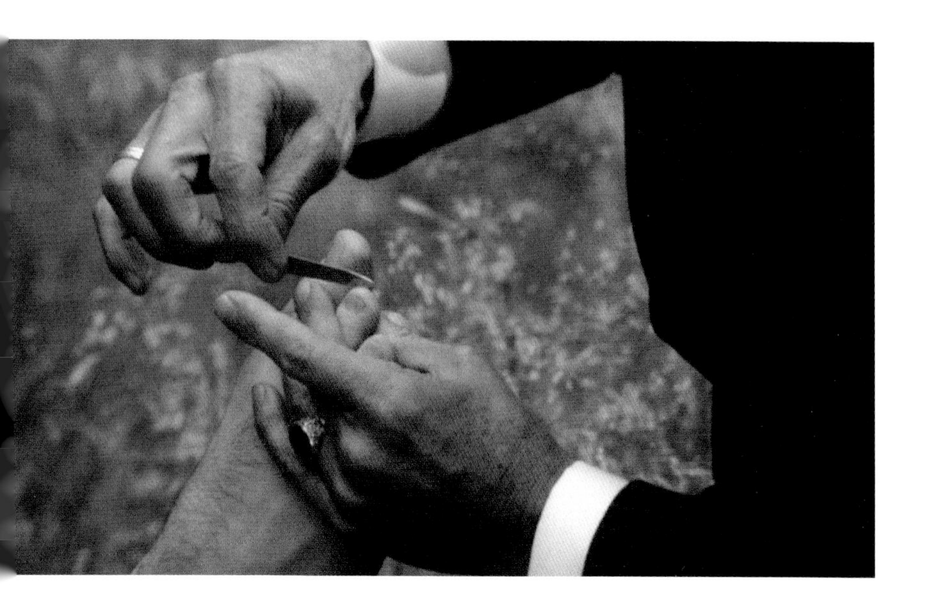

Deutschland im Herbst 1977/78

Episodenfilm

KAMERA DER FASSBINDER-EPISODE: Michael Ballhaus

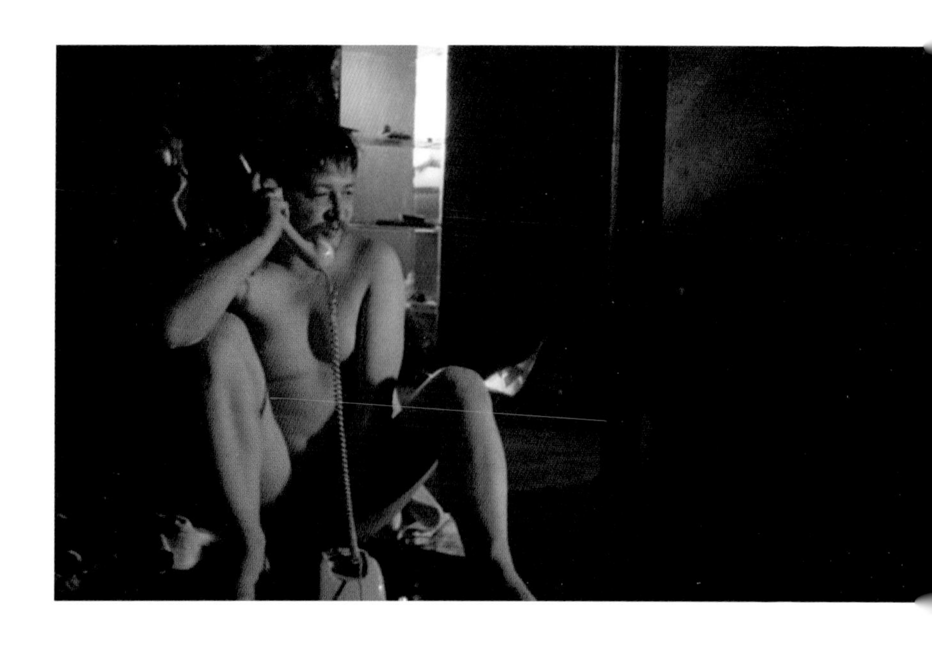

Die Ehe der Maria Braun 1978

WIDMUNG: „Für Peter Zadek“

KAMERA: Michael Ballhaus

In einem Jahr mit 13 Monden 1978

KAMERA: Rainer Werner Fassbinder

...., aber meine größte
Angst ist, einen Tages
meine Gedanken in
zu können, denn ....

15

Die dritte Generation 1978/79

UNTERTITEL: „Eine Komödie in 6 Teilen / um Gesellschaftsspiele / voll Spannung, Erregung und Logik / Grausamkeit und Wahnsinn / ähnlich den Märchen / die man Kindern erzählt / ihr Leben zum Tod ertragen zu helfen"
KAMERA: Rainer Werner Fassbinder

Berlin Alexanderplatz 1979/80

Ein Film in 13 Teilen und einem Epilog

KAMERA: Xaver Schwarzenberger

Lili Marleen 1980

KAMERA: Xaver Schwarzenberger

Lola 1981

„BRD 3"

WIDMUNG: „Für Alexander Kluge"

KAMERA: Xaver Schwarzenberger

Theater in Trance 1981

Dokumentarfilm über das Theater-Festival „Theater der Welt“ in Köln 1981

WIDMUNG: „Dieser Film ist dem Initiator von Theater der Welt 1981 Ivan Nagel gewidmet“

KAMERA: Werner Lüring

Die Sehnsucht der Veronika Voss 1981

„BRD 2 / 1955“

WIDMUNG: „Für Gerhard Zwerenz“

KAMERA: Xaver Schwarzenberger

Abendzeitung
„UFA-STAR nahm

Querelle 1982

WIDMUNG: „This film is dedicated to my friendship with
El Hedi ben Salem m'Barek Mohammed Mustafa. Rainer Werner Fassbinder"
KAMERA: Xaver Schwarzenberger

OLICE

Selbstbiografie 1967

Rainer Werner Fassbinder

Am 31. Mai 1945 wurde ich in Bad Wörishofen als Sohn des Dr. med. Helmuth Fassbinder und seiner Ehefrau Liselotte, geb. Pempeit geboren. Meine ersten Lebensjahre verbrachte ich in München, wo ich von 1951 bis 1955 die Rudolf-Steiner-Schule besuchte.

Von 1955 bis 1961 besuchte ich das Humanistische Gymnasium bzw. Realgymnasium in München, Augsburg und wieder München.

Von 1961 bis 1963 war ich bei meinem Vater in Köln, wo ich ihm bei dem Aufbau eines Immobilienbüros half.

Von Herbst 1963 bis Frühjahr 1964 hatte ich Schauspielunterricht bei Intendant Kraus in München, danach bis Mai 1966 bei Fridl Leonhard in München.

Im Juni 1966 half ich eine Woche Bruno Jori bei den Dreharbeiten seines Filmes *Hoffnungsgruppe!* in Verona.

Im Juli 1966 machte ich in München einen 8-mm-Kurzspielfilm in Farbe (Buch, Kamera, Regie) *This night*.

Im November 1966 machte ich meinen ersten 35-mm-Kurzspielfilm *Der Stadtstreicher* (Buch, Regie, Schnitt), im Januar 1967 den zweiten 35-mm-Kurzspielfilm *Das kleine Chaos* (Buch, Regie, Rolle).

Im November 1966 gewann ich mit dem Stück *Nur eine Scheibe Brot* einen Preis in einem Dramenwettbewerb der Jungen Akademie München.

Filme möchte ich machen, weil Film für mich seit Jahren die faszinierendste Ausdruckmöglichkeit bedeutet, weil ich das Kino liebe und weil ich glaube, dass ich meine Ideen im Film verwirklichen kann.

An ein Studium an der DFFB knüpfe ich die Erwartung, dass meine Liebe und Begeisterung zum Film eine ordnende Sicht erfährt, dass durch die Zwiesprache mit Dozenten und anderen Schülern neue Perspektiven sich ergeben, und dass die technischen Fragen des Films für mich kein Problem mehr bedeuten, sondern dass ich mich der technischen Möglichkeiten bedienen kann.

München, am 26. Februar 1967

HAAAPPPYYY, HAAAAPPPPYYYY BIIIRRRRRTTTTHHHDAAAYYY, BAAABBBYYY!

Mr. Fassbinder, you'd be seventy-five years old this year, so you'd remember the 1957 Tune-Weaver's hit I just sang to you on this page. Yes, you may be "colder than death", as one of your film titles predicted, but your work still burns with defiance on the screen. From beyond the grave of independent cinema your brilliantly perverse filmography continues to inspire generation after generation of cinema outlaws with its obsessively driven, drug-induced, keen-witted, political incorrectness. You are a cult that still attracts, hypnotizes and joyously damages film buffs worldwide and we, your slavish followers, thank you from the bottom of our wounded little hearts.

I remember when I first met you at the Berlin Film Festival. There you were with Douglas Sirk! You in your dirty Levi's and leather, he elegantly dressed in a crisp white suit. I wanted to bow down. You were both kind and welcoming to me *and* my early trash epics which were just getting to be known in Germany. Douglas Sirk knew what *Pink Flamingos* was!? I was astounded and moved and it was all because of you.

Later, I was so proud when New Line Cinema, the distributor of all my films at the time, announced they were going to release your movie *Despair* in America. I played dumb when the publicist eventually complained that she had sent you two first-class airline tickets to come to New York to promote the film and even though you had accepted and flown over, you'd never shown up to do the interviews. I had seen you out at the leather S&M bars the night before but I kept my mouth shut. I don't snitch on royalty.

Can I call you Rainer? If so, Rainer what can I give you for your birthday but praise? God above, I ask you, Is there a better performance in film history than that of Irm Hermann in *The Bitter Tears of Petra von Kant*? If not, isn't there an award bigger than an Oscar that we can give her while she's still alive? And *Fox and His Friends*; finally, a director who understands gay "trade". I'd get down on my knees to service your perception and no one could call it necrophilia when your film is so alive and throbbing with wit. *Martha*—I salute you! A movie so mean, so cruel, yet how hard did I laugh over the scene where the husband forces his new wife to get a painful sunburn on the day of their wedding just so the honeymoon sex that night will be more awkward and painful? I may roast in hell for enjoying your romantic on-screen torture but what director since has been more daring or original?

Fassbinder, I honor you! My all time favorite of your work? *In a Year of 13 Moons*, your most brutal, feel-bad diversely-twisted film. *The New York Times* already wrote, "It's only redeeming value is genius", so what more can I say? If you don't like this movie you should kill yourself?

I'll blow out your candles for you but first I'm gonna look through this new book of film stills. Oh God, the memories! First of all, you were cute. A hot mess but still a film stud. All those smart talented women surrounding you. Straight. Gay. Bi. Even Freud would be confused. You married one of them too; the magnificent Ingrid Caven. Hanna Schygulla—what a leading lady! You made her so famous she got cast in a Chuck Norris movie—*The Delta Force*. That's what I call crossover with a capital C. No wonder your real-life boyfriends were so miserable—they had tough acts to follow.

Race, class, history, Nazis, family, even our own mother—you "fucked" them all in the long run. Looking through this book readers will feel like straight guys panting over their favorite pin-ups in *Playboy Magazine* only instead of hot babes, they'd be revisiting their first memories of a Fassbinder movie which is a new form of eroticism in itself. *I Only Want You to Love Me*, one of your titles begged. We do, Rainer, we do. And if anybody disagrees? Well, there's a lot of us Fassbinder cultists still out here and we know where you live ...

John Waters

The Heart of the New German Film

26 Ordered Thoughts on Rainer Werner Fassbinder

Hans Helmut Prinzler

A man born in 1945 could celebrate his seventy-fifth birthday in 2020. If he were no longer alive, and if he had accomplished something significant, then one would have to commemorate him. Rainer Werner Fassbinder was an outstanding German filmmaker in the 1970s. He died at the age of 37.

1. His Life

"On May 31, 1945, I was born in Bad Wörishofen, the son of general practitioner Dr. Helmuth Fassbinder and his wife Liselotte, née Pempeit." This is how a surviving handwritten curriculum vitae from 1967 begins. After RWF's parents divorced in 1951, he mostly lived in Munich and Augsburg with his mother, who was working as a translator. She often let her son go to the cinema so that she could work in peace. Finished school in 1964 without qualifying for university. Trained as an actor. First roles and stagings at the "Action Theater." First short films in 1965-66. In 1966, his application to Berlin's German Film and Television Academy was unsuccessful. Founding of the "antiteater" in Munich in 1968, with Kurt Raab, Peer Raben, and Hanna Schygulla, among others. Began a career as a filmmaker in 1969, parallel to the theater work at first but then taking on unexpected dimensions. RWF died on 10 June 1982.

2. His Work

In 16 years, he shot 44 films, produced four radio plays, wrote 18 plays and directed 23 productions for the theater. He worked as an author, director, actor, cinematographer, editor, producer, composer, and designer. His creativity had no discernable bounds.

3. His Films

There were 25 of them, starting with *Love Is Colder than Death* (*Liebe ist kälter als der Tod*). Ten selected high points: *Katzelmacher** was his breakthrough. *Beware of a Holy Whore* (*Warnung vor einer heiligen Nutte*) reflects work and tensions on the film set. *The Merchant of Four Seasons* (*Händler der vier Jahreszeiten*) looks back at the Adenauer era. *Ali: Fear Eats the Soul* (*Angst essen Seele auf*) is an homage to Douglas Sirk. *Effi Briest* (*Fontane Effi Briest*) proves itself to be an enjoyable literary adaptation. *Satan's Brew* (*Satansbraten*) is the result of a personal crisis. *The Marriage of Maria Braun* (*Die Ehe der Maria Braun*) became his most successful film. *Lola* evokes von Sternberg's *The Blue Angel* (*Der Blaue Engel*). *Veronika Voss* (*Die Sehnsucht der Veronika Voss*) reminisces about the UFA film studio. *Querelle* didn't premiere until three months after RWF's death. My three favorite films are *Effi Briest*, *Maria Braun*, and *Lola*.

4. His Works for West German Television

He made nine productions for the WDR channel, three for channel ZDF, two for Saarländischer Rundfunk, and one for channel NDR. The forms were diverse: a television show with Brigitte Mira, *Like a Bird on a Wire* (*Wie ein Vogel auf dem Draht*); a documentary (*Theater in Trance*); three recordings of theatrical performances; two two-part films for television, *World on a Wire* (*Welt am Draht*) and *The Stationmaster's Wife* (*Bolwieser*); six television films; one five-part series, *Eight Hours Don't Make a Day*

*If only the original German title for a film is stated, the work was released with the same title in both English- and German-speaking markets. In the case of books mentioned here, none of which has been translated into English, title translations are provided in brackets.

(*Acht Stunden sind kein Tag*); and a 14-part series (*Berlin Alexanderplatz*). In those days, there were only publicly funded broadcasters in West Germany. And they were still very open to experimentation.

5. His Themes

The depiction of German history was his central theme. A good example is his West German trilogy *The Marriage of Maria Braun, Veronika Voss,* and *Lola*. In all three, a strong woman stands at the center of a historical moment: the war and post-war period up to 1954 (Maria Braun), the mid-1950s (Veronika Voss), and the late 1950s (Lola). Politics and economics take precedence over individual happiness. The plan to continue telling the story of West German history into the 1960s and 70s remained unfulfilled. *Lili Marleen* is an homage to singer Lale Andersen in the 1940s. *Despair* (*Despair—Eine Reise ins Licht*) takes place in Berlin in the early 1930s. *Berlin Alexanderplatz* takes us back to the 20s. And the literary adaptation of *Effi Briest* conveys an authentic portrait of the late nineteenth century. Especially in the early films—*Love Is Colder than Death, Gods of the Plague* (*Götter der Pest*), *The American Soldier* (*Der amerikanische Soldat*)—, the subject is crime: murder, manslaughter, robbery, criminal gangs. American and French gangster films were his models. Homosexuality—*Fox and his Friends* (*Faustrecht der Freiheit*); gender reassignment—*In a Year of 13 Moons* (*In einem Jahr mit 13 Monden*); possession (*Martha*); polyamory —*Chinese Roulette* (*Chinesisches Roulette*) are themes that dominate the middle period. At all times, his films deal with the individual's search for identity; often, they confront naked fear.

6. Settings / Characters

Many of his films are set in the suburbs of Munich—in apartments with spare furnishings, courtyards, streets, restaurants. The protagonists are taciturn, but conflicts are palpable. When four or five people come together, it can quickly come to pass that one becomes the outsider and the others commit a verbal or physical assault. A stylized Bavarian dialect is spoken. For example: *Katzelmacher, Merchant of Four*

Seasons. Other settings: a small town in the American West (*Whity*); a Spanish hotel by the sea (*Beware of a Holy Whore*); an apartment in Bremen (*The Bitter Tears of Petra von Kant*); Cologne (*Eight Hours Don't Make a Day*); a castle in Franconia (*Chinese Roulette*); a village in upper Bavaria (*Bolwieser*); Frankfurt am Main (*In a Year of 13 Moons*); West Berlin (*The Third Generation* [*Die Dritte Generation*]); Berlin in the 1920s (*Berlin Alexanderplatz*); Coburg (*Lola*); the port city of Brest on the Atlantic Ocean (*Querelle*). Self-confident women dominate. The men often fail in the search for themselves.

7. His Actors and Actresses

The ensemble of the "Action Theater" and then the "antiteater" formed the core of his casts for the early films: Harry Baer, Rudolf Waldemar Brem, Ingrid Caven, Irm Hermann, Hans Hirschmüller, Doris Mattes, Peter Moland, Kurt Raab, Peer Raben, Hanna Schygulla, Ursula Strätz, Lilith Ungerer, and RWF himself. The circle expanded rapidly with the addition of Margit Carstensen, Günther Kaufmann, Ulli Lommel, Eva Mattes, Walter Sedlmayr, Volker Spengler, and Margarethe von Trotta, among others. Lilo Pempeit/Liselotte Eder, his mother, often played supporting roles. In the 1970s, he rediscovered German stars of the 1950s who had been more or less shunned by the New German Cinema: Annemarie Düringer and Claus Holm (three films each), Karlheinz Böhm and Ivan Desny (four films each), Rudolf Lenz (five films), Barbara Valentin, Adrian Hoven and Klaus Löwitsch (eight films each). Their roles were prominent; his direction was recognized as masterful. Foreign stars also appeared: Eddie Constantine (three films), Dirk Bogarde, Mel Ferrer, Franco Nero, Anna Karina, Jeanne Moreau. As a result, his work was increasingly recognized abroad.

8. His Cinematographers

Three cinematographers shaped the visual language of his films: Dietrich Lohmann (1943–1997), Michael Ballhaus (1935–2017), Xaver Schwarzenberger (*1946). From 1969 to 1974, Lohmann was responsible for twelve films and the series *Eight*

Hours Don't Make a Day. Ballhaus came one year after Lohmann had started, in 1970 (*Whity*), at times working in tandem with him. He went to America in 1978 (*The Marriage of Maria Braun*). Unforgettable: His first 360° pan in *Martha,* when Margit Carstensen and Karlheinz Böhm encounter each other for the first time in a piazza in Rome. Schwarzenberger was responsible for the late work, starting with *Berlin Alexanderplatz*. In two films (*In a Year of 13 Moons* and *The Third Generation*) RWF himself stood behind the camera.

9. His Editors

The editing of his films was very important to him. Under the pseudonym Franz Walsch, he is credited with editing 13 films. Franz was the first name of the literary figure Biberkopf in Döblin's *Berlin Alexanderplatz*. Walsch was the Germanization of the surname of director Raoul Walsh, for whom he had great respect. He spent a great deal of time at the editing table with two editors: First came Thea Eymèsz (15 films), then Juliane Lorenz (twelve films). He viewed them as equals.

10. His Dedications

The opening credits of many films mention artists to whom a given film is dedicated. Eleven examples. The film *Love Is Colder than Death* is preceded by the dedication, "For Claude Chabrol, Eric Rohmer, Jean-Marie Straub, Linio and Cuncho." (Linio and Cuncho were the main characters in *A Bullet for the General* (*El Chuncho, quién sabe?*), a film by Damiano Damiani. Their names were actually Niño and Chuncho, however.) *Katzelmacher* is dedicated to author Marie Luise Fleißer. *Whity* bears the dedication "For Peter Berling." *The Bitter Tears of Petra von Kant* is "Dedicated to the one who became Marlene here." *Fox and his Friends* bows to "Armin and all the others." *Despair* is "Dedicated to Antonin Artaud, Vincent van Gogh, Unica Zürn." "For Peter Zadek" is in the opening credits of *The Marriage of Maria Braun,* "For Alexander Kluge" in the opening credits of *Lola,* "For Gerhard Zwerenz" at the beginning of *Veronika Voss*. The documentary *Theater in Trance* "is dedicated to the initiator of Theater der

Welt 1981, Ivan Nagel." In his final movie, *Querelle,* one reads: "This film is dedicated to my friendship with El Hedi ben Salem m'Barek Mohammed Mustafa." He was the main actor in the film *Ali: Fear Eats the Soul.*

11. His Mottoes

Along with dedications, mottoes are also featured in the opening credits of a few films. For example, "It is better to make new mistakes than to constitute the old ones until general unconsciousness." (Yaak Karsunke)—*Katzelmacher.* "Pride goes before a fall," combined with the quote from Thomas Mann, "I tell you that I am often tired to death of representing humanity without participating in it"—*Beware of a Holy Whore.* "Happiness is not always fun."—*Ali: Fear Eats the Soul.* And the subtitle to *Effi Briest* reads "Many who have an inkling of their possibilities and needs and yet accept the ruling system in their head and, therefore, by their deeds strengthen and confirm it absolutely." A dedication or a motto at the beginning of a film is a hint for the cinema audience not to get involved in what is happening thoughtlessly.

12. His International Reputation

The film festivals in Cannes and Venice were not his turf. Volker Schlöndorff and Wim Wenders dominated Cannes; Alexander Kluge and Edgar Reitz, Venice. Two of Fassbinder's films (*Ali: Fear Eats the Soul* and *Despair*) were shown in the Cannes competition, two (*Beware of a Holy Whore* and *Querelle*) in Venice. The 14-part *Berlin Alexanderplatz* was also screened in Venice. He received no prizes from international juries. His worldwide reputation nevertheless grew in the 70s.

13. His Festival, the Berlinale

His first feature film, *Love Is Colder than Death,* was shown in the Berlinale competition in 1969 and greeted with a reserved reception. His penultimate film, *Veronika Voss,* won the Golden Bear in 1982. A total of nine of his films premiered at the Berlinale. He had firmly expected to win a Golden Bear in 1979 for *The Marriage of Maria Braun,* but the awards were limited to two Silver Bears, one for Hanna Schygulla as Best Actress and one for the entire film team. In 1977, he served on the Berlinale jury. The main prize was won that year by the Soviet partisan drama *The Ascent* (*Voskhozhdenie*) by Larissa Schepitko. His favorite was Robert Bresson's *The Devil Probably* (*Le diable probablement*), which won the Special Jury Prize. He experienced three Berlinale festival directors: Alfred Bauer, Wolf Donner, and Moritz de Hadeln.

14. RWF, the Actor

He was trained as an actor and enjoyed performing on stage or in front of the camera, the first time for the latter being in 1965 as the man at the pissoir in his short film, *Der Stadtstreicher*. His filmography includes five leading roles, 32 supporting roles, and cameo appearances. Three of his leading roles were performed under the direction of colleagues who were also friends of his. In Volker Schlöndorff's 1970 film adaptation of Brecht's play of the same name, he was Baal, the young poet who drinks a lot, womanizes, and roams the land with a friend whom he ultimately stabs to death. Screenings of the television film were banned after its initial broadcast on channel ARD due to an objection by the Brecht estate. In Daniel Schmid's *Shadow of Angels* (*Schatten der Engel*, 1976), the film adaptation of the play *Garbage, the City, and Death* (*Der Müll, die Stadt und der Tod*), he took the leading role of the pimp Raoul, who, together with the prostitute Lily, becomes involved with real estate speculators and is in the end suspected of murder. In Wolf Gremm's science-fiction thriller *Kamikaze 1989* (1982), he played the police lieutenant Jansen, an eccentric in a leopard suit who has to solve a murder on the 31st floor. He didn't live to see the film's premiere.

15. His Term as Artistic Director

He assumed the helm of the "Theater am Turm" in Frankfurt am Main for the start of the 1974–75 season; in June 1975, after eight months, he resigned. He had made headlines with his play *Garbage, the City, and Death,* which conservative critics condemned for allegedly antisemitic tendencies and whose publication was then canceled by the publishing house, Suhrkamp Verlag. His brief spell in Frankfurt is regarded with ambivalence.

16. Self-representation

He participated in the group film *Germany in Autumn* (*Deutschland im Herbst,* 1978) with a 26-minute episode that gives us a glimpse into his inner life. RWF: In his dark apartment, he argues with his friend Armin Meier, makes a phone call, takes drugs, plays with his penis, and has a conversation with his mother, who can't cope with the current political situation—she'd rather have an authoritarian ruler, "one who's pretty good." The images and dialogues seem unimaginably authentic.

17. His Texts

He was a sought-after writer. There is an anthology of 16 essays and working notes that Michael Töteberg published in 1984: *Filme befreien den Kopf* [Films Free the Mind]. Three texts are of particular significance. The most important one is an homage to the German-American director Douglas Sirk, whom he greatly admired. "Sirk said of film, it's blood, it's tears, violence, hate, death, and love. And Sirk made films, films with blood, with tears, with violence, hate, films with death and films with love. Sirk said you can't make films about something, you can only make films with something—with people, with light, with flowers, with mirrors, with blood, with all these crazy things that make it worthwhile. Sirk also said that the philosophy of a director was light and framing. And Douglas Sirk made the tenderest films I know" (1971). The most interesting text is a discussion with the French director Claude Chabrol, whom he respected but also criticized: "Shadows, of course, and no pity. A couple of haphazard thoughts." Quote: "Chabrol's gaze is not that of an entomologist, as has often been asserted, but that of a child holding a number of insects in a glass cage and looking at the strange behavior of his little animals with variations of amazement, fright, or relish." The most beautiful text tells the story of his collaboration with actress Hanna Schygulla, who played a leading role in 17 of his films. They met at acting school, worked together at the Action Theater and founded the "antiteater." Then the film work began. "When, for whatever reason, it was more important for me to cast Schygulla in a smaller role, I had to go begging. Mostly, I encountered tender mercy, and Schygulla just did it, she'd take the smaller role, but she'd also let me know in every moment that she was only surrendering herself to the urgency of my request. She had even bigger problems with the roles of the so-called supporting women, especially when Margit Carstensen was playing the leading female role in that film. But who could be so petty as to attack such normal human emotions?"

18. Books about RWF

There are, roughly speaking, about a hundred books on RWF. The first was published in 1974, published in the Hanser Verlag's film series. Wilhelm Roth's annotated filmography is still worth reading today. Its fifth edition, revised and expanded, appeared in 1985. Immediately after his death, Harry Baer (*Schlafen kann ich, wenn ich tot bin* [I Can Sleep When I'm Dead], 1982) and Kurt Raab (*Die Sehnsucht des Rainer Werner Fassbinder* [The Yearning of Rainer Werner Fassbinder], 1982) wrote books about him shaped by their personal interactions with him. The biography *Ein Tag ist ein Jahr ist ein Leben* by Jürgen Trimborn (2012) is still worthwhile. From today's perspective, four publications have the greatest importance: Thomas Elsaesser's thought-provoking monograph published by Bertz + Fischer in 2012; the two comprehensive catalogues for the 1992 exhibition and retrospective in 1992, edited by Herbert Gehr and Marion Schmid at Argon-Verlag; and the pictorially rich volume *RWF: Die Filme* [RWF: The Films], edited by Juliane Lorenz and Lothar Schirmer in 2016 by Schirmer/Mosel. There will be many new books about him.

19. His Death

He died of a heart attack in his Munich apartment on the night of June 9–10, 1982. The *Bild* newspaper's headline: "Fassbinder Died like Romy [Schneider]." The funeral service took place on June 18. Hanna Schygulla gave a speech. She asked: "Who will tell us such stories now? Who will offend us now?" The coffin was empty because the body was still being autopsied. The urn was buried a few month later at the Bogenhausen cemetery. On July 20, RWF had wanted to start shooting the project *Ich bin das Glück dieser Erde* [I Am the Joy of this World]. *The Life of Rosa Luxemburg* with Jane Fonda, produced by Regina Ziegler, was planned for 1983. What kind of films would he have made these past 38 years if he had remained alive, like his colleagues Alexander Kluge, Edgar Reitz, Volker Schlöndorff, Reinhard Hauff, or Wim Wenders?

20. His House

"I would like to build a house with my films. A few of them are the cellar. Some are the walls; others, the windows. But I hope that in the end a house will stand" (1982).

21. My Personal Contacts

From 1974 to 1992, the Deutsche Kinemathek published the "Reihe Film" (the "Film Series," a.k.a. the "Blaue Reihe" or "Blue Series") in cooperation with Peter W. Jansen and Wolfram Schütte at Hanser Verlag. The authors were shown the available films of the respective directors in an internal retrospective. Volume 2 was dedicated to RWF. In his presence, on six days in February 1974 at the DFFB cinema, twenty films and the series *Eight Hours Don't Make a Day* were shown for Peter W. Jansen, Wolfram Schütte, and Wilhelm Roth. I was responsible for the "data." In a long conversation with him, I was able to work through his biography and the filmography of his work. Shooting times, budgets, the revelation of pseudonyms. On the year of birth, he deceived me. He said: 1946. That was wrong. The correct year is 1945. In January 1975, RWF attended a Claude Chabrol retrospective, for which he was to write the essay. At the screenings, he argued with Wilfried Wiegand, who was responsible for the annotated filmography. We spent an evening with him and his crew in a bar. At the time, he was the artistic director at the Theater am Turm. I tried to convince him to write a text for the 1982 Berlinale retrospective dedicated to director Curtis

Bernhardt. But he turned me down on the phone because he was too busy. That was my last personal contact with him.

22. His Posthumous Fame

The Rainer Werner Fassbinder Foundation, founded in 1986 by his mother Liselotte Eder and managed by Juliane Lorenz since 1992, has ensured that his artistic work has been preserved, that his films have been restored and digitalized, that the rights for public screenings can be secured, that the films are available on DVDs and Blu-ray, and that retrospectives can take place all over the world. An independent Fassbinder Foundation has existed in New York since 1998, after the first complete retrospective of his films was shown at the Museum of Modern Art. "Fassbinder is the dazzling, talented, provocative, puzzling, prolific, and exhilarating filmmaker of his generation" (*New York Times*).

23. His Exhibition

Ten years after his death, three years after the fall of the Wall, a now legendary exhibition took place under the television tower at Alexanderplatz in Berlin. 600 displays were shown over an expanse of about 2000 square meters: posters, costumes (by Barbara Baum), photos, drawings, production documents. The reconstructed private and working rooms gave the impression that he had just left and would return momentarily. At the Kino Arsenal, Babylon cinema, and Filmmuseum Potsdam, almost all of his films, along with many other films he deeply admired, were screened. The two-volume catalogue for the exhibition and film series is a treasure trove of information.

24. His Plaza

In 2004, a plaza between Lilli Palmer Strasse and Erika Mann Strasse in Munich was named after him. It is located in Neuhausen-Nymphenburg. House 1 hosts the "Freiheizhalle," a venue for events. In 2007, the artist Wilhelm Koch created a floor relief in front of the hall, in which the titles of RWF's films, stage plays, and radio plays are engraved.

25. His Center

The Deutsches Filminstitut & Filmmuseum in Frankfurt am Main acquired the literary estate of Juliane Lorenz and took this as an opportunity to bring collections of documents previously stored at several locations under one roof on Eschersheimer Landstraße. The location hosts workstations where one can research materials pertaining to Hans Albers, Artur Brauner, Reinhard Hauff, Lilian Harvey, Volker Schlöndorff, and Rudolf Thome. Its name is the Fassbinder Center.

26. The Heart

Wolfram Schütte, a critic whom he held in high esteem, wrote in an obituary in the *Frankfurter Rundschau* newspaper: "If one were to imagine the New German Cinema allegorically as a human being, Kluge would have been the head, Herzog the will, Wenders the eye, Schlöndorff the hands and feet and such, but Fassbinder would have been the heart, the living center (not in a political sense or as a locus of balance, but a gravitational center in which respective artistic tendencies intersected)."

ALTHOUGH WE EXCHANGED a word or two a couple of times, Rainer Werner Fassbinder and I only encountered each other once. It was during the Cannes Film Festival, May of nineteen hundred seventy-eight. Each of us was responsible for a film in the competition back then: Fassbinder, if I'm not mistaken, for *Dark Fire*,* based on Nabokov's book, and I for *The Left-Handed Woman* (*Die linkshändige Frau*), so that we were, so to speak, competitors. Our encounter took place deep in the night, in the sand, on the shore of the Mediterranean. Before that, we had been, as I recall, hardly a few steps from the sea, in the Blue Bar, a festival favorite, in the crowds, far from one another, each of us with his "team" or in an accidental grouping. I was then drawn out into the night, to the sea, alone. Beautiful great darkness, starless black sky, and silence with the soft lapping of the waves on the Côte d'Azur, the ebb and flow there, as usual, barely distinguishable from one another. And all of a sudden, Rainer Werner Fassbinder was by me, in the distance, more of an intimation than a clear outline. And he, too, like me, looked into the sky-sea-darkness, with the invisible, and therefore all the more audible, quiet waves before him. I turned from the sea, and, then, in my almost involuntary pivot towards Fassbinder, both our eyes met, silently, and that was our encounter.

Peter Handke
March 1, 2020
First Sunday of Lent

*The author is actually talking of *Despair* (*Despair—Eine Reise ins Licht*)

Hanna Schygulla
Die Autobiographie

Hanna Schygulla
Wach auf und träume
Die Autobiographie
200 Seiten, 63 Abbildungen

Rainer Werner Fassbinder
Das literarische Frühwerk

Rainer Werner Fassbinder
Im Land des Apfelbaums
Gedichte und Prosa
aus den Kölner Jahren 1962/63
192 Seiten, 24 Abbildungen

Rainer Werner Fassbinder – Die Filme
Das Gesamtwerk

Rainer Werner Fassbinder
Die Filme
Ein illustriertes Werkverzeichnis
aller 44 Kino- und Fernsehfilme 1966 bis 1982
mit 1368 Filmbildern und 46 Photographien
328 Seiten, 1414 Abbildungen

Den Text von John Waters übersetzte Frank Heibert aus dem Englischen.
Die Texte von Hans Helmut Prinzler und Peter Handke übersetzte
Daniel Mufson ins Englische.

Litho: Bayermedia, München
Druck und Bindung: DZS Grafik, Ljubljana

ISBN 978-3-8296-0895-4

Eine Schirmer/Mosel Produktion
www.schirmer-mosel.com